阆苑仙境话生肖

摄影 潘明清

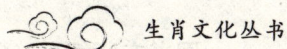
生肖文化丛书

生肖 你我她

SHENGXIAO NI WO TA

张瀚文 罗修德 著

解读你的运程
解读我的团队
解读她的姻缘

三秦出版社

图书在版编目（CIP）数据

阆苑仙境话生肖/张继军，罗修德著. —西安：三秦出版社，2009.9

（生肖文化丛书）
ISBN 978-7-80736-695-9

Ⅰ.阆... Ⅱ.①张... ②罗... Ⅲ.十二生肖–通俗读物 Ⅳ.K892.21-49

中国版本图书馆CIP数据核字（2009）第168388号

生肖文化丛书
生肖你我她——阆苑仙境话生肖

张继军　罗修德　著

出版发行	三秦出版社
	新华书店经销
社　　址	西安市北大街147号
发行电话	（029）87205121
垂询电话	（0817）6225777
邮政编码	710003
印　　刷	蓝田立新印务有限公司
开　　本	720×1000　1/32
印　　张	36
字　　数	66千字
版　　次	2009年12月第2版
	2011年10月第3次印刷
印　　数	12501-24900套
标准书号	ISBN 978-7-80736-695-9
单册定价	**6.50元**
全套定价	**78.00元**
网　　址	WWW.sqcbs.com

引 言

  盛唐双奇袁天罡、李淳风晚年退隐于被称为人间仙境的四川阆中，常常一起谈风论水推测后世，并遗存有大量的天象和风水方面的书籍，尤以《推背图》久负盛名。这套小书是风水馆张瀚文馆长和罗修德风水大师根据这些遗存，经过多年的研究编写而成的。

  阴历是世界上流传最久的历法。黄帝在位61年时，产生了一道十二宫历法的首轮称为甲子，每一甲子为期60年，由5个分期构成，每个分期12年，我们称为五子运。每一年都以一个"动物符"作标记，我们称之为生肖。关于十二生肖源于何时及其排列，有各种传说，至今难以细考。这类故事，或似开心解闷的笑谈，或似贬恶扬善的寓言，文学成分较浓。

　　古代也有这样的传说，玉皇大帝99岁寿辰时，王母娘娘在阆苑仙境为他举行盛大的宴会，天上人间各路神仙纷纷前来贺寿，最先到来的动物神是老鼠；接着是牛、虎、兔、龙、蛇、马、羊、猴、鸡、狗、猪。玉皇大帝就按这些动物到来的先后顺序分别封以不同的年号，配以不同的时辰，作为对它们的赏赐。从此，"鼠咬天开"后的小老鼠就幸运地坐上了十二生肖的头把交椅，新一轮的五子运也从鼠年开始了。

　　代表生肖的动物符分别与自然界中的木、火、土、金、水五行相对应。五行又按磁场的正负极分为两极，即中国人所谓的阴和阳。

　　在阴历中，每天分为12更，每种动物符代表1更，昼始于子夜11时。阴历中的动物符对人的影响也是十分强烈的。属相中的12种动物分为阴阳两类。鼠、虎、龙、马、猴、狗属阳性，牛、兔、蛇、羊、鸡、猪属阴性。

12种动物属相除了其表示年的五行外，还有其固定的五行与季节对应。猪、鼠、牛为冬天，方位北方，季节色为蓝色，五行属水；虎、兔、龙为春天，方位东方，季节色为绿色，五行属木；蛇、马、羊为夏天，方位南方，季节色为红色，五行属火；猴、鸡、狗为秋天，方位西方，季节色为黄色，五行属金。

古代圣贤说，土生万物，因为它是金、木、水、火四行合一的象征，便不能与十二属相中任何动物相对应。有些算命人士指土为本行，从而以牛代水、龙代木、羊代火、狗代金。

在没有现代方法观测气象的时代，中国人便利用了阴历来预测雨雪到来的季节。时至今日，人们仍然相信阴历的真实可靠性。人们会发现，如果某年五行标志为水，那么这一年很可能会发生决堤或洪灾，这取决于阴阳两极哪个的影响力更强些。

你也许会对春季的第一天感兴趣，皇历中谈到，这一天鸡生的蛋能立起来，请你不妨试一试。如果有缘，你会见证的。阴历中春季到来的这一天称为"立春"，通常是阳历2月4日或5日。阴历节气是变化无常的，某些阴历年中也许会出现两次立春的情况，而某些阴历年根本不存在立春。中国的占卜者们称无立春之年为"盲年"，因为人们"看"不到春季的第一天。因此，在这样的年份里是忌讳娶亲的。

在这本小书中，你会发现、知晓深藏于你内心和他人内心深处的秘密。这样，你不仅会了解自己，而且还会知道你个人与事业的关系，知晓生活中会发生的事情。

同时这本小书能帮助你从另外一个角度观察自己，观察你宜与周围哪些人组成最好的朋友或团队，观察宜与哪个属相的人与你结合的婚姻是幸福美满的。它会使你理解主宰你的"狗"为什么会偶尔让你表现出急躁，属马的人易变、不安静特点的由来，以及为什么属龙的朋友会盛气凌人、花钱讲排场，还有蛇年出生的人为什么会有多疑的性格。你也许会吃惊地发现，有些工匠善于修理各种各样的东西，是因为他们出生于使他们聪明智慧的猴年。另外你还会看到那些动作迟缓、自信甚至保守的银行家们多是出生在充满自信的牛年。

也许这本书能让你进入理解命运和造化的神秘之门，甚至可以帮你作出重大决定。人生路上你会倾听蛇的机敏语言、寻求羊的温柔与同情心、获得猴的聪明智慧、共享马的快乐、欣赏兔的善交能力、用狗的忠诚交朋友、依靠虎的热情点燃生命之火、以鼠的勇于进取去完成伟业……

愿《生肖你我她》成为你为人处世的指南、美满婚姻的处方、幸福生活的源泉。

生肖\年干	鼠	牛	虎	兔	龍	蛇	馬	羊	猴	雞	狗	豬
水運	甲子	乙丑	丙寅	丁卯	戊辰	己巳	庚午	辛未	壬申	癸酉	甲戌	乙亥
火運	丙子	丁丑	戊寅	乙卯	庚辰	辛巳	壬午	癸未	甲申	乙酉	丙戌	丁亥
木運	戊子	己丑	庚寅	辛卯	壬辰	癸巳	甲午	乙未	丙申	丁酉	戊戌	己亥
金運	庚子	辛丑	壬寅	癸卯	甲辰	乙巳	丙午	丁未	戊申	己酉	庚戌	辛亥
土運	壬子	癸丑	甲寅	乙卯	丙辰	丁巳	戊午	己未	庚申	辛酉	壬戌	癸亥

目 录

亥　猪 …………………………………… 1

猪　年 …………………………………… 3

属猪人的性格 …………………………… 5

属猪的儿童 ……………………………… 11

属猪人的起名 …………………………… 14

属猪人的五种类型 ……………………… 16

属猪人与时辰的对应关系 ……………… 22

属猪人在其他生肖年中的运程 ………… 35

属猪人生月趣解 ………………………… 48

属猪人生日趣解 ………………………… 52

属猪人的姻缘 …………………………… 59

吉祥四季　平安一生 …………………… 84

阆中风水博物馆 ………………………… 86

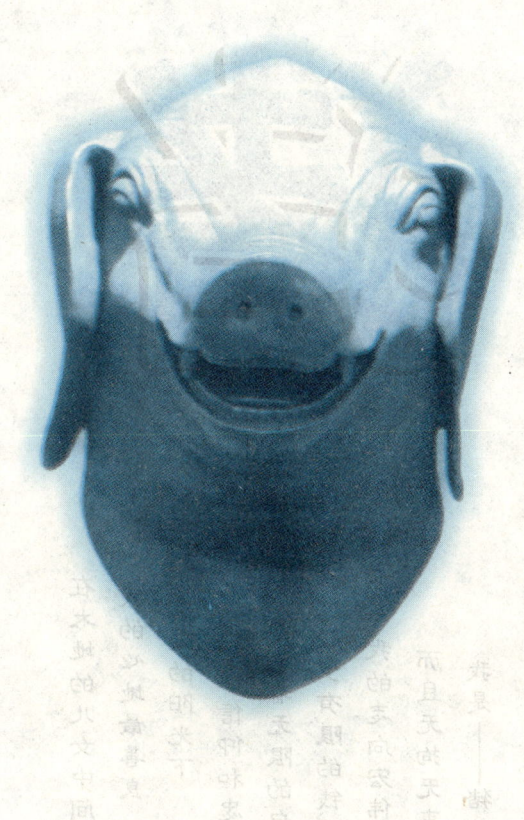

亥 猪

(圆明园十二生肖铜兽首)

在大地的儿女中间
我的心地最善良
在爱的阳光下
我满怀信仰和忠诚
享受着无限的自由
胜于有限的钱财
我的志向宏伟
而且无拘无束
我是——猪

猪年金玉满堂

对于所有人来说都是一个有希望的年头，这一年利于做生意，从事工业生产也会取得很大成果。人们在这一年轻松自在。总之，"猪"所拥有的殷勤、诚恳会促使人们感情更丰富，想象力更充分，这一年会很繁荣。但这一年人们也会面对时机的频频招手，采取犹豫不定的态度。

属猪人感情丰富，在这一年尤能理解和同情他人。他们慷慨大方地送人礼物，甚至以自己舍财的风格和过分奢侈为自豪。在这一年，他们会因听取逸言而采取大肆挥霍的行动。也会发生不做调查滥用巨款投资的糊涂事，其他人在这一年也会因一时冲动做出不必要的慷慨举动而后悔。

猪年带给人们自满自足，有充分的安全

感。这一年,人们生活愉快、轻松,无需竞争就可获利。人们不会遇到大障碍,猪的稳定、温和预示着这一年的平静。

这一年里,人们会参加大量社会活动和娱乐活动,开办慈善事业,人们会在充满雍容大度的气氛里广交朋友。

尽管这一年于人们十分有利,但还应防止过分的行动而弄巧成拙。

属猪人的性格

属猪人的性格沉稳、刚毅,心地善良、纯朴,他们能以坚忍不拔的精神,勇气十足地承担分配给他们的一切工作,并会全力以赴地把工作做好。因此,有充分的理由信任他们,让他们去奋斗吧。

属猪人在人群中属于朴实无华之列,却有着独到见解,应该是"查理·布朗"奖章获得者。他们性情温顺,永远不会做置人于死地之事。

属猪人为人们所喜爱,还因为他们像属羊属兔人一样求世间平安,与人为善。当然,他们被逼无奈时也会发火,与人斗争,但他们不恨人,不暗地与人作对。

他们待人宽宏大度,对别人的错误采取既往不咎的态度。因此,总能与人保持亲切关系。他们寻求以忍耐精神来完善自己,并以这种精神坚持不懈地工作，他们是一个成为优秀教师的好材料。

属猪人不像属龙人那样善于迷惑他人，也不像属猴属虎人那样好蛊惑别人，更不像属蛇人那么甜言蜜语，自我陶醉，而是一点点地将他的诚实的心交付于你，使你越来越离不开他们。属猪人非常讲体面，外表堂堂，具有骑士风度，同时也有骑士的助人为乐，可以替人承担棘手的工作，没有丝毫抱怨，当朋友遇到危难时，他们会挺身而出。

如果世间对你不公，或当你受到致命打击时，请找个属猪的朋友帮忙，他们会耐心地听你倾诉苦衷而拔刀相助。即使是你自己的错误造成的，他们也不会流露责备你的意思，你可以记住，对属猪人来说，一些复杂问题都可以简单化。

属猪的女士极爱清洁，一尘不染，家中布置得井然有序，几乎所有属猪的妇女都有洁癖，只有极少数人在这方面稍随便些。另外，她们个性强,尊重自己,也尊重他人。他们全部能力都可以投放在令她们动荡不安的事业上,而不求任何回报,你可以通过她们令人信赖的言行得到证实。她们有一种非常高尚的胸怀,帮助人不留姓名,还要求人保密;可以为远方的人做多年的祈祷或满怀热情为他们服务,而不让他们知晓。她们会周到地接待丈夫的朋友们,会不厌其烦地回答孩子们的问题,她们喜欢照料好自己家庭生活,并引以为乐。同他们待在一起会让人愉快,他们出现在哪里,哪里就会变得活跃。但不是说她们不会抱怨,抱怨时也会那么的温和。

属猪人较轻信别人和别人所说的任何事情,包括那些仅有一面之交甚至陌生的人。因此他们很容易受蒙蔽。他们会因此而失去钱财。他们不宜掌管家务,因心肠太软,捂不紧钱袋。

属猪人相信宿命论,当他们一无所有时会变得非常厌世,自我放任,由此走向沉沦

的深渊。

引起他们陷入危机的境地也是由于他们过分慷慨造成的，当他们对别人提出的要求无法满足，或帮助别人时力不能支时，他们不是面对现实，而是极度的沮丧、失望。

属猪人同安静、伶俐的属兔人或举止稳重的属羊人在一起时，会得到幸福。同属虎人也能和睦相处。属鼠、牛、龙、马、鸡、狗的人都能与属猪人协作。只有当属猪人遇到另一个属猪人时，关系才不易融洽。属猪人最难对付的是属蛇和属猴的人，因为他们对狡猾、诡诈无能为力。

属猪的儿童

　　属猪的孩子依赖性强，喜欢凑群，易与人相处。常在学校的多项活动中起带头作用，他的坚忍不拔和乐于助人的品格受到好评。这些孩子在困难面前表现勇敢，从不流泪，抱怨。他们被大自然赋予强健的身体和坚强的性格，能顶住痛苦，不哭鼻子。

　　属猪的孩子同属鼠的孩子一样，胃口很大，人们不需在他们吃饭问题上多操心，更不像属羊的孩子那样非要大人喂饱他们不可。属猪的孩子热情高，不轻易泄气，外表温和平静，而内心激情满怀，只是很难做到谨慎小心地控制自我。假如他们非常爱自己的父母，但感到父母对他们不当，会采取自我体罚甚至犯罪行为来发泄不满。属猪的孩子无须像其他孩子那样，多要家长操心，当他们需要帮助时，自己会直接提出来。

　　属猪的孩子没有个性意识，如果你不要求他们成为你的驯服工具，他们也会服你管理。他们寻求成功后的精神喜悦胜于他们对奖品的渴望。他们不珍惜自己所有的东西，往往会拿去白白送人。

除了他们优秀的组织能力、克服困难的勇气、与人和善的脾气外，他们还有帮人排忧解难和抑制自己贪图吃喝的欲望等优点。

他们是能够忍受住指责他们的孩子，能在失败中吸取经验。他们在事情发展中，总要让人们相信他们参加的必要性，会将自己的力量奉献给他们所要做的事。

他们的耐力和渴求会使人们不得不按他们的意志去做。如果想发挥他们的才干，还需严格约束他们，才会使他们优于别的孩子的特点发挥出来，因为他们自己不太严格要求自己。

他们对自己所爱的人的缺点常视而不见，无论做事对他们有利无利，他们都不会减少对所爱的人的情感。他们对朋友太忠心，也能交到真朋友。

他们充沛的精力使他们能以多种方式从事各种事情。他们的魅力能吸引其他孩子，他们出现在哪里，哪里就会成为一个小聚会。因为人们能窥视他们内心的无私和生活的热情。

取名宜有"豆""米""鱼"字,福禄双收,名利永在,富裕高贵;有"氵""金""玉"字,智勇双全,精明公正,克己助人,温和贤淑;有"月""木""禾"字,子孙兴旺,环境良好;有"亻""山""土""艹"字,英俊才人,重义信用;有"系""石""刀""力""血""弓""儿""皮""父"字等,不利健康或忌车怕水,不利家庭。

属猪人的五种类型

金猪——1911年 1971年 2031年

此年出生的人感情激烈、热情,比他人更有支配力,常常制定宏大计划,常为自己的荣誉感到骄傲。缺点是不够细致。

他们对自己的私人生活缺少节制。性格外向善于社交活动,喜欢与能平等相处和性格纯洁天真的人交友,但对朋友的估计往往过高,对敌手估计太低。他们不善严守秘密,甚至轻信他人的话。大概与他们太诚实、直率有关。

他们雄心勃勃、充满力量,对敌手常常进行猛烈攻击,是对方最害怕的"敌人"。

他们不轻易承认自己的失败,他们总企图依靠自己坚忍的耐力与人斗争,他们常常是劲头十足的实干家。

水猪——1923年　1983年　2043年

这年出生的人性格坚韧，有外交能力，会成为优秀的外交使臣。他们洞悉他人潜藏的动机与愿望，在斗争中奋起反抗，寸土不让。五行"水"使他们能认清人，总能看到别人的长处，对于有恶意的人，只要不去触及他们，他们也不在意。这种类型的人对自己的意念会热诚而坚信不疑，奇迹总能出现。

他们的热情、求实精神和诚实态度，能使他们成为优秀的组织者，并坚韧地说服人们在自己的意志引导下去行动。他们严守制度，并同样严格要求他人。

他们身上总是洋溢着对他人的热情，但当他们消极厌世时，却有不节俭行为，或贪吃贪喝，或追求低层次的生活方式。

木猪——1935 年　1995 年　2055 年

　　这年出生的人有能力控制他人。他们愿意将自己的大部分时间献给慈善事业。他们会是出色的社会活动组织者，履行自己对社会的责任。他们喜欢那些同他们经常保持联系的人，也乐于同他们交往。他们能很好地促进自己的经济事务。

　　他们心地善良，为人宽厚，对那些意义不大的小事情也非常关心，与人合作时很少挑剔，因此，也会在合作中受那些不可信的人的欺骗。

　　尽管如此，他们以诚相待总能得到好报，能赢得重要的位置。

　　"木"使他们踏实，工作作风朴实，做事方式实际、可行。

　　他们是有说服力的演说家，即便在娱乐活动中，他们也能以灵巧机敏的语言制造一个和谐气氛。他们昂扬向上的精神总给人以感染，使人们不能不反省自己的弱点。

火猪——1947年 2007年 2067年

五行"火"使这年出生的人具有坚强性格和力量。他们在从事工作的过程中常显示出不同凡响的英雄主义气概,他们的结局很极端,或创造出价值非常高的成果,或一落千丈,难以翻身。这取决于他们选择的道路和控制自己情感的程度。

他们勇敢无畏,坚信自己先天具有能力,从不惧怕那些吉凶未卜的事情。这种精神使他们可能在诸多不利的条件下幸运地获得成功。他们的目标很明确,不断积累财富是为自己所爱的家庭提供更优越的条件,也为帮助那些需要帮助的人。他们总以慷慨、无私、豪侠而著名。

当他们处于消极状态时,他们会凭个人意志行事,不顾忌后果,如欺骗他人,甚至成为犯罪者。

这类人喜欢从事制造业或手工业生产活动,所以一有机会,他们愿意雇用大批人为自己工作。

土猪——1959 年　2019 年　2079 年

这年出生的人思维敏捷、性情活泼、爱好和平。五行"土"赋予他们实干精神，使他们肯定能出成果。他们喜欢做经济管理工作或其他对自己前途有利的工作。

他们以稳重、耐心为人称道。他们坚持不懈地做事，直至成功。他们坚强的意志支撑着他们不怕压力，勇挑重任。

他们最辛勤、吃苦耐劳，但缺少权威性，只能自己推动自己，指挥不动他人。

他们喜欢大吃大喝，也许会发胖，但他们头脑灵活，有能力解决各种问题。所以他们能使自己获得成功，也能有效地避开矛盾，得到安宁的生活。

属猪人与时辰的对应关系

子时出生(鼠时辰)

——午夜11时至凌晨1时

鼠、猪结合使此时出生的人有良好的判断力,

善于做经济投资的工作。

他们性格比较圆滑,

参加社会活动非常活跃,

善于广交朋友。

丑时出生（牛时辰）

——凌晨1时至3时

此时出生的人固守旧习，

靠陈规行事，

"猪"内心活泼的情感受到"牛"的牵制，

变得暮气沉沉。

寅时出生（虎时辰）
——凌晨 3 时至 5 时

此时出生的人具有艺术气质，
能成为好演员和组织者。
由于性格外向，
又容易受别人影响。

卯时出生（兔时辰）

——早晨5时至7时

他们为人随和，

伶俐乖巧，

除了自己分内的工作，

他们不会另负责任。

辰时出生（龙时辰）
——早晨 7 时至 9 时

此时出生的人强悍而具有责任心，愿意将自己的力量奉献给所爱之人。他们一生中的成功与失败几乎同等。

巳时出生（蛇时辰）
——上午 9 时至 11 时

出生此时的人性格沉稳，

工作坚持不懈，

"猪"的踌躇不前的弱点得到"蛇"的弥补，

增强了做事成功率。

午时出生（马时辰）
——上午11时至下午1时

此时出生的人具有良好的气质，

但有时较自私，

为自己牟私利，

争权力的行为是个大弱点。

未时出生（羊时辰）
——下午1时至3时

此时出生的人富于同情心，

多愁善感，

有时过分谦和，

易受人支配。

他们愿意为人效劳，

待人过分慷慨。

申时出生（猴时辰）
——下午 3 时至 5 时

此时出生的人外表与人友善，

内心自私贪婪，

会以小聪明哄人。

酉时出生（鸡时辰）
——下午5时至7时

此时出生的人散漫，

爱说不爱做，

喜欢独来独往。

有时会固执地做一件很荒谬的事。

他们十分追求自我表现。

戌时出生（狗时辰）
——晚7时至9时

此时出生的人性格直率，
办事公正，
说话严谨，
但缺乏热情。
他们不容忍欺骗行为，
如果你欺骗了他们，
那你就准备好，他来找你算账。

亥时出生（猪时辰）

——晚9时至11时

此时出生的人，

性格像块璞玉，

经过精心雕琢，

会成为珍品。

他们优秀的品质有待人们去发掘和培养，

请对他们多加关照。

属猪人在其他生肖年中的运程

鼠 年

对属猪人来说,

这是一个动荡的年头,

他们的工作会很不稳定,

家庭生活也笼罩在不安之中,

他们会捕捉原以为能得到的东西。

尽管他们尽全力克服困难,

仍会遇到不尽的烦恼。

牛 年

是对属猪人吉利的一年。
属猪人的前景可观,
智慧能得到施展,
他们会开始自己的计划。
这一年不会出现大的不安,
可能会有一些风流韵事方面的纠葛,
使家庭产生不和睦。

虎 年

是一个不利的多艰辛的年头,

属猪人会遇到许多困难,

又不得不孤身应付这些局面。

这一年他们很难从别人那里借到钱。

也不易讨回自己借出的钱。

会有意想不到的开销,

不能十分相信自己的同僚,

也不能独力从事那些大的事务。

兔 年

是属猪人光景一般的年头,
还会面临一些障碍,
但多是无关大局的小麻烦。
在这一年里会有些经济收入,
他们的地位有一定提高,
家庭生活趋于平稳,
还会参加大量社会活动。

龙　年

将是属猪人一帆风顺的年头，
他们会获得权势者的支持，
并赢得自己上司的信任。
同事们也会十分敬重他们。
家庭生活平平安安，
但要注意，
这一年可能有疾病，
或丢失一些个人物品。

蛇 年

这是激动、不平静的一年。

他们会大胆进行投机生意。

四处奔走做冒险尝试。

会在竞争中取胜,

也将会听到一些令人伤心的消息。

可能还会同异性朋友闹矛盾。

由于过度浪费、大手大脚,

有可能使自己的事业有所倒退。

马 年

这一年对属猪人有利。
如果肯将自己的资产投入生意或
委托给朋友们去投资,
都会获利,
以前制约经济发展的因素不再起作用。
这一年他们的家庭及个人生活
都会有交好运的兆头。

羊 年

这是平稳的一年。

属猪人的经济地位不会有大变化,

也不会遇到疾病的缠绕,

事业上无大困难。

在这一年可以通过技能训练

提高自己的能力,

为将来寻求新的机会进行竞争准备条件。

猴 年

这一年对属猪人来说，

弊大于利。

不时会因经济困难无援而陷入痛苦境地，

不少家庭问题和个人问题也会缠绕他们。

这一年的结局对他们不大有利。

但可以通过贷款或投靠有实力的

集团来克服自己的困难。

鸡 年

这是繁忙的一年。
属猪的家庭生活比较平稳，
但事业发展会受阻，
他们不得不花费大量时间、
精力去应付困境，
搬掉前进途中的障碍。
他们需要冷静地坐下来与人谈判，
处理那些棘手、复杂的问题。

狗 年

这一年仍不宜于属猪人施展抱负。
他们在这一年渴求的愿望越强烈,
结果就会越扫兴。
困难会从四面八方袭来,
这是由于缺乏正确判断而造成的。
他们必须谨慎从事。
对人的批评要有分寸,
才能顺利度过这一年。

猪 年

这一年中，
属猪人的生活会比较稳定，
他们不但有经济收益，
事业上有进展的可能，
在这一年中，
还会遇到一些工作及家庭中的问题，
但不会有大影响。
在这一年健康状况不佳。

属猪人生月趣解

生于正月

上代的余荫很好,有坐享其成之福。为人忠诚可靠,颇得朋友信任,守承祖业是绰绰有余。儿孙满堂,家庭幸福。

生于二月

性格清高、脱俗,厌恶繁杂的社会生活,而喜欢到世界各地的名胜古迹寻幽探秘。有天赋、有才能,若从事文学艺术业其成就颇高。家庭观念较淡。

生于三月

身体健壮,性格刚强。为人热情奔放,对异性的爱慕往往不顾后果,故有情圣之雅号。有聪明才智,做事果断机敏,家庭观念很深,夫妻共偕白头。

生于四月

秉性聪敏,职位权贵高。做事易冲动,早年会离乡,六亲不靠,自力更生,要自己开创局面。为人讲义气,身体力行,有成功条件。一生与家庭有不少纠纷。

生于五月

性情温顺,仪表非凡,有吸引人的风度,但不善言辞。对异性的追求,应宽容大量。很满足现实,有天生福气,不忧衣食。

生于六月

虽才储八斗,学富五车,但进取心不强,不求上进,幸而上代有福,可坐享其成,不愁生活问题,安富尊荣,事业颇顺心。庸人福厚,得家庭之乐。

生于七月

凡事一帆风顺,势力强盛,衣食丰盈。安富尊荣,吉祥通达,定然成功。

生于八月

个性很强,能为领袖。凡事必全力以赴,力干到底,且很讲信义,而又颇有威严,是社会上的领导人才,可成功立业。有点高傲自恃,夫妇意见相悖,家庭和气不佳。

生于九月

自成权威,能为领袖,个性很强。凡事必

全力以赴，力干到底，且能得信义，而又颇得外缘之助。可享祖荫，继往开来，有创业兴家之相，发福颇早，名利佳。

生于十月

是较为热情开朗的人，虽然对财利看得较重，但绝不会做损人利己的事。很难与人相处，不拘小节，颇有领导之相，可惜家庭不够平稳。早年结婚有刑克。

生于十一月

遇硬不从，遇柔则顺，有一副侠义心肠的人，有很好的交际手段，无论碰上什么困难，也可迎刃而解，是众人崇敬的偶像人物。家庭福气很好，子女也成才。

生于十二月

无权力，但有强烈的自信心，是个不计较任何得失都要实干到底的人，精神魄力俱佳，有时颇得成功。尽管有时会失败，起落不够平稳，幸而多贵人，有友助，可以顺利度过难关。

属猪人 生日趣解

生于初一

命带吉祥，事业有成，有一鸣惊人之势。祖萌不薄，六亲少靠，荣幸之命。此日若逢子时，男女恐有争风吃醋气闷心。

生于初二

命带桃花，常于烟花柳巷，门外纷争，多做风流子弟，平淡终身。此日若逢丑时，男人不尽人意，女人则吉祥如意。

生于初三

有吉有凶，但财力顺通。口舌常有，不免时有官灾诉讼，若不慎重，必入牢笼，此种布局只有在不利流年想法时便可化解无虑。

生于初四

有天赐之吉祥，只要善加利用其适度有望成功，克服困难不致失败，如逢卯时，命带星相职高，财富厚。

生于初五

命带不祥，虽努力耕种却难有收获，犹如雨夜走暗路——前途渺茫。但是，如奋发图强，冲破黎明前的黑暗，曙光依然会在你面前出现。

生于初六

天性机敏，为人诚实，很得人缘，事业有成，常有女贵人相助，一生顺利，家成业就。如果逢己时，免得朝东暮西，动荡不安。

生于初七

有天生的领导能力，受人敬仰。此日生人，不分男女，一生必定大展宏图，此因紫微星高照隆德合，有祸不凶，逢凶化吉。

生于初八

命带官相，但时运不佳，性格犯煞，不能温和待人，树敌太多，招人猜忌，必致失败。如果是女性，温雅淑慧，聪明出众，惹人喜欢。

生于初九

脑筋灵活，有巧妙的才能，能成大业，但必克服高傲，注重修养，方可成功，天时不如地利，地利不如人和，和者为贵。

生于初十

聪明伶俐，事业有成，但须克服骄傲，搞好良好的人际关系，即可成功。

生于十一

有发财之美景，如有不屈不挠之精神，善

用智慧凌驾万难，必可成风云人物，单身只影过后，会喜气洋洋，不必操之过急。

生于十二

　　先凶后吉，早年易招诽谤，名利难丰，中年后，运气开始转吉，凡谋无不成功。运败黄金似铁，运盛铁也生辉，功到自然成。

生于十三

　　犹如池中之龙，一旦风云聚汇，便可腾云驾雾、大获成功。平时要注重人格修养，千万不要意气用事，等待时机，不鸣则已，一鸣惊人。

生于十四

　　中青年时期常因意气用事，自尊心过强，使人敬而远之。如有宽容理解，广结善缘，必能昌盛，大业有成。

生于十五

　　运气不吉，一生潦倒，终生艰辛，如能有奋斗毅力，善修德行，定能有壮大之日。山重水尽疑无路，柳暗花明又一村。

生于十六

　　命带不祥，功名利禄虽有，但有悲欢离合之难，要多行善事。此种结局无论男女，结婚

不易过早。

生于十七

天赐吉运，聪颖智力，德才兼备，一生必有大名利，财得四方，家大业大，发达之命。流年不错，稍有逊色，亦是锦上添花。

生于十八

具有艺术天赋，如能奋发努力，必能取得成就，出人头地。偶有小病，时有小破财，没有什么大碍。

生于十九

先苦后甜，青年辛苦劳碌，中年开始行吉运，一生有富贵、长寿、权威之运。吃得苦中苦，方为人上人，真可谓苦尽甘来。

生于二十

女比男吉，有艺术天才。读书饱学，文章出众，如能善加进取，必能功成名就。

生于二十一

特别聪明，智能出众，有断事能力、领导能力。如不高傲，修善人和，定能成显达之贵，这种结局，是一步一个脚印实干出来的。

生于二十二

虽多才多艺，但用心不专，做事十做九不

成，若能专心，便可成功。做事要诚恳踏实，见异思迁是不会成功的。

生于二十三

有得长辈和贵人相助，有成功事业之吉运。如能加倍努力，打牢基础，必能成功，有时难免失败，交友要良。

生于二十四

天赋有才干，能为他人做事，受人尊敬，名声在外，有财势。但须注意，独自经营难免失败，交友必良。

生于二十五

青年时追求虚荣，不切实际，如不醒悟，有自知之明，将败之更惨。见风使舵，能伸能曲，少出错，前途有望。

生于二十六

意志薄弱，缺乏自信心，无成事之望。如能多培养意力，必定能开命运之门，在此之前，难免有些是非口舌。

生于二十七

命带桃花，终日色心迷乱，无进取之心，一生恐难有发达之望，且命带官司之数。如果流年大运有转的话，反而会有权力可掌。

生于二十八

性情常变，用心不专，这山更望那山高，如能专攻一项事业，必会成功，事业繁荣。不要心眼太多，有时聪明反被聪明误的。

生于二十九

命带吉祥，事业顺遂，财力兴旺，有贤妻助，富贵之命。有时也会有不尽人意的时候，但无大碍。

生于三十

智力超群，善于计划，亦很勤勉，具有事业成功之运气。一生名高权重，有时会出现心情沉闷，郁郁寡欢。

属猪人的姻缘

古人认为，寰形相克图（下图）两端直接对应的属相是排斥的。

天　　　　　　　　　　　　地

和　　　　　　　　　　　　谐

猪+鼠

彼此间有很强的吸引力,两人都力求营造一种亲密无间的气氛。他们待人友好、善于交际且精力旺盛,家庭、朋友和共同的兴趣是他们生活的中心,他们一起举办招待会款待客人。对与他们有关的事总是主动介入,观点鲜明。两人相比,妻子精明、强干,丈夫显得老实厚道。

猪+牛

是中意的一对儿，但他们不同的需要和习惯可酿成潜在的矛盾，婚姻未必非常美满。通常，丈夫是温和、大度、明智的，但妻子却更多地注意丈夫肉体上的吸引力，喜欢他生活上的钱财以及对她各方面需要的关注。此外，由于妻子总爱努力工作，自我克制，常使丈夫烦恼不安。他快活、善于社交、思想开放，为保证业余生活丰富而辛勤操劳，她严肃、庄重、有条不紊，能在工作中得到满足。

猪+虎

　　是恩爱夫妻,令人羡慕的一对儿,彼此都强烈的希望取悦对方。两人感情深厚、精力充沛、进取心强并能互相补充对方的不足。他和蔼可亲、明事理,善于应付妻子那无法预测的好激动的脾气;而她感到丈夫忠实、有胆量、豁达正直。她常为自己大发脾气而遇不到抵抗感到懊恼,此时,丈夫那幽默、宽容的气度便淋漓尽致地表现出来。

猪+兔

丈夫豪爽,愿为温文尔雅的妻子奉献一切。妻子睿智、开朗、精细敏锐,足以拿出部分精力机敏地帮助丈夫,为他分忧,尽管丈夫并未意识到这一点。他喜欢妻子的善良、谨慎、从不吝啬,无论是她的感情,还是她所钟爱的物品都可慷慨给予。他不自私,从不过多地要求她奉献。她也对丈夫的殷勤和慷慨大方感到满意。双方都认为他们的婚姻生活很充实。

猪+龙

是真正成功的结合，而在未来的生活中，夫妻关系将越来越好。丈夫经常以不同的形式表现出其热情而坚定的性格。以力量为象征的龙妻能促使任何婚姻发展成一种权势的争斗，并在争斗中削弱丈夫的力量。丈夫并不讨厌，为了他的爱，他甘愿做出让步。为了获得成就而赢得她的赞赏，他也在不屈不挠地努力。他们能互相体谅，在性爱中双双得到满足。他们的缺陷是，双方都太敏感，以致不能受到任何刺激，很容易被热情的纵欲搞得神魂颠倒，而他们当中谁也不愿做出适当的节制。

猪+蛇

情致高雅的妻子不能容忍粗线条、俗气的丈夫。他感到她太复杂、太神秘。而她对于头脑简单、易轻信的丈夫来说的确是深奥莫测,难以理解。她不允许丈夫无节制的纵欲,这无疑使他冷漠无情。沉默寡言的妻子那冷静和深思熟虑的态度常使他狼狈不堪。两人都将痛苦,双方的优良品质也得不到珍惜。

猪+马

两人都是快乐的追求者。广交朋友的特点在一定程度上对双方都是有益的。妻子富于想象力、足智多谋,而丈夫则具有极好的可靠品质。丈夫赞赏妻子活泼、爽快的性格,妻子则认为丈夫热心、诚实、坚忍不拔,很惹人喜爱。双方都理解互相谦让的价值。他们将会建立一个生机勃勃、互相包容、互相协助的家庭,谁也不会伤害对方。他们将十分满意地度过他们的一生。唯一的弱点是双方都不愿过多考虑未来。

猪+羊

他们是恩爱、亲密的一对。双方为他们的结合都做出了最大努力,给对方以深沉的爱和真切的关心。丈夫强健、豪爽,给温柔多情的妻子以无微不至的关怀和体贴,使她快乐。妻子则像母亲对孩子一样照顾着丈夫,使他对她更加尊敬和仰慕。他沉浸肉欲,把对她的占有欲看做是真正的爱。丈夫慷慨、有骑士风度。当妻子知道她得到他的爱时,将极力扮演一位贤妻角色。

猪+猴

这种结合夫妻相敬如宾,但缺少温情,彼此不可能被对方真实个性所吸引。丈夫与头脑复杂的妻子相比过于简单、拘泥。妻子性格泼辣,而丈夫显得太温柔。当妻子以迂回的方式崭露风韵时,她那过分掩饰和自命不凡的本性在丈夫面前暴露无遗,他则会被这种低能的表现搞得烦躁不安,感情受到伤害。如果他们能彼此理解,沟通思想,互补长短,这样的婚姻仍然是能成功的。

猪+鸡

如果双方能做出适当让步，并注意培养感情，这样的婚姻是行得通的。他们的生活会存在小的争执，如果能坦诚相见，则可以消除两人之间分歧。当妻子见地超常、强词夺理，或者不能毫无保留地追随和爱丈夫时，他则注入十二分的热情和温柔，在精神上给予其爱抚。然而，双方无疑都爱面子，不愿当面提出自己的需要。丈夫诚实、善于交往，需要得到既勤勉而又具备批评家头脑的妻子的帮助。妻子能干、自尊心强，但也迫切地需要补充性情温和的丈夫的某些长处，如交际方面的爽朗性格。

猪+狗

尽管他们对待生活有不同的看法,他们的关系仍然是友善和愉快的。丈夫彪悍、开朗、诚实,做事喜欢彻底,不半途而废。妻子则有闯劲、好斗心强。如果丈夫过分放纵,在工作中疏忽大意,将会受到妻子不留情面的指责。他易动感情,缺乏理智,并有良好的胃口和无节制的情欲。尽管妻子比丈夫有更敏锐的洞察力,但她完全信赖他。同样,宽宏大量的丈夫,常常忘记妻子那尖刻辛辣的个性,而把她看作可信任、高贵的同盟者。

猪+猪

如果能善于辨别是非曲直，他们的关系便可相处得很好。他们身体强壮、胆量过人、谦逊、相互理解，但双方都缺乏韧性且盲目行动，不能相互弥补对方的弱点。他们诚挚、友好，但缺乏果断和有条不紊的作风，这将会给两位好心人以无情的惩罚。他们中的一位必须在现实和逆境面前变得冷漠、循规蹈矩，否则，他们彼此的爱和忠诚将得不到保障。

鼠+猪

他们都醉心于生活,在肉体和精神上彼此都具有吸引力,但他们都过于乐观和直率,会使好运走过了头,他们既没有足够的精力去刹车,又不能找到一种力量使他们的关系稳定下来。要保证他们婚姻的成功,尚需要某种凝聚力。

牛+猪

　　他们都有极好的性格，而且甚为相合。他严肃、举止得体，能为自己确立成功的方向。她耐心、热忱、富于自我牺牲精神。他勤奋地工作，而她以充分的信赖支持和鼓励他，她比他的趣味更丰富，更享受感官欢乐、更坦率。她也理解他的需要，有她在一起，他能少一些沉默和倔强。

虎+猪

他们相互为对方献身,受对方的激励,因而能更加生机勃勃地工作。他们为的是对方,而不是为自己。他们在一起,将有一个幸福的目标。为了虎丈夫的理想,猪太太情愿奉献一切,他则赞美她的勇气和体力。她信任他,与他意气相投,促使他更加追求物质目标来满足她的奢华。他们都是无拘无束的,对性爱充满热情。他们的差别会降到最次要的地位,两人将手拉手走完生命的旅程。

兔+猪

两人都能激起对方的兴趣和同情。他积极、有才干、机敏。她赞赏他的沉稳和优雅，常常向他让步。她依赖性强、大方、服从，她被他的专一所打动，为她的无私所吸引。他们从不互相挑剔，宁愿相信对方的祝福，这是一对能从对方得到满足和报答的伴侣。

龙+猪

  稳定的、成功的结合。猪太太总是支持和鼓励雄心勃勃的龙丈夫。他容易冲动,她则重于克制。他好战,她却能使人平静下来。为了共同目标,他们能够顺利地合作。无论他干什么,猪太太都愿意为他奉献一切。他大胆、一往无前,每当他失败跌倒,她都会毫无怨言地扶起他。他们的爱情是非常热烈的。

蛇+猪

蛇先生持之以恒，很有决断力和意志力，猪夫人悠闲懒散，为人随和。她态度放任，这使他怀疑她不能理解他和他的事业。他城府很深，颇为世故，她简单、天真，对人深信不疑。她无法理解他复杂多疑的性格。他对她的亲切和真诚敬而远之、冷漠处之，这使她感觉受到伤害。他们截然相反的性格将使他们的结合毫无幸福可言。

马+猪

他很有说服力、吸引力和号召力，足以说动厚道、随和的猪太太对他作出让步。她则心地善良、合群，愿意同快活的马丈夫一起合作。然而，她是个重情义的人，渴望相处，以自我为中心的马丈夫不太能满足她。另一方面，他希望她的关心只给予他，而不是其他任何人。双方接受对方的弱点都有困难。

羊+猪

是深挚的结合,因为没有摩擦。双方都不在乎作出让步,且喜欢把家作为活动的中心。猪太太很合群,不像羊丈夫那样敏感,羊丈夫由于含蓄的天性所在,容易产生戒心。她很会做人,善交际,不像他那么好想入非非,因此减少了他的羞怯。另一方面,他能够弥补她所缺乏的新意,并迎合他对温暖与合作的热切要求。

猴+猪

这种结合对两人都有很强的吸引力,但在婚后平凡的生活考验中,这种吸引力会被磨损掉,猪太太精力旺盛,咄咄逼人,对丈夫和自己的目标坚定不移。不过,她更多的是盲目的忠诚,因而猴先生从她朴实性格中获益的欲望并不会保持多久。她得益于他的理财本领,但不欣赏他碰运气的方式。想忍受对方的弱点,双方要做出非同一般的努力才行。

鸡+猪

　　猪太太是逍遥自在、可信赖的形象，对人表现得很和气，从不伤害别人的感情。但鸡丈夫却经常议论指责，以不真实、自私的看法得出问题的结论。他是一位善于观察琐碎细节的丈夫，妻子亦是如此。她不善于独立思考，易接受别人的劝告，如丈夫给予妻子一点恩惠，她便欣然接受他的劝告。她乡土观念重，易被表面现象所迷惑，易被别人利用，她需要丈夫为她分担一部分忧虑。这样的结合是一种以男方为轴心的婚姻。

狗+猪

这对夫妻在性格上的差异相当大,但仍能维持一种平等的关系。丈夫可靠,能为妻子分担一切,值得依赖。妻子温柔,当她表示爱时,对他充满柔情,使他们有共同的满足感,他们都不情愿让步,但仍会分担和共享他们的一切。他们的结合将是幸福的,因为双方都无需对对方的弱点唠叨不休。

平安一生
吉祥四季

【生于春】吉祥方位：西方、西北方
吉祥颜色：白色、灰色、黄色
吉祥饰品：铜锣、金丝眼镜、金表
吉祥密码：酉、申、巳、丑、庚、辛
吉祥行业：从事与"金"相关的行业

【生于夏】吉祥方位：北方、东北方
吉祥颜色：蓝色、黑色、白色
吉祥饰品：孔子铜像、金链、蓝田玉、金笔
吉祥密码：子、丑、申、辰、亥
吉祥行业：从事与"水"相关的行业

【生于秋】吉祥方位：东方、东南方
吉祥颜色：绿色、黑色
吉祥饰品：木鱼、木佛珠、绿宝石、灵芝、竹板平安、人参王
吉祥密码：甲、乙、寅、卯、亥
吉祥行业：从事与"木"相关的行业

【生于冬】吉祥方位：南方、西南方
吉祥颜色：红色、紫色、黄色
吉祥饰品：红木用品、打火机、太阳画、牡丹花、玩具猫、骏马图
吉祥密码：午、寅、戌、巳、未
吉祥行业：从事与"火"相关的行业